이런저런

김준환 지음

CONTENT

작가의 말 5

1부 일상생활 6

2부 짝사랑 이후 사랑 그리고 이별 32

3부 감성 47

일상에서 느끼는 감정들은 우리 삶의 특별한 조각들입니다. 그것들은 우리를 인간으로 만들고, 우리의 존재를 의미있게 만들어 줍니다. 우리가 행복을 느끼고, 슬픔을 겪고, 사랑을 느끼며, 분노를 느낄 때, 우리는 살아있다는 것을 느낄 수 있습니다.

감정들은 우리의 내면에서 끊임없이 솟구치는 환기구입니다. 때로는 그것들은 우리를 힘들게 할 수도 있지만, 그들이 없다면 우리는 삶을 경험하는 존재가 아닐 것입니다. 따라서 우리는 감정들을 부정하거나 무시하지 말아야 합니다. 그들은 우리가 존재하고 있는 증거이며, 우리가 살아있다는 것을 느끼게 해줍니다.

우리는 행복할 때는 그 감정을 경험하며, 그것을 공유하고자 합니다. 슬플 때는 그 감정을 받아들이고, 치유되고자 합니다. 사랑할 때는 그 감정을 깊이 이해하고, 그것을 키워나가고자 합니다. 분노할 때는 그 감정을 조절하고, 건강한 방향으로 이끌고자 합니다.
감정들은 우리를 지친 일상에서 벗어나게 해주며, 삶의 진정한 의미를 발견하게 해줍니다.

그러므로 우리는 감정들을 절대 잊지 말아야 합니다. 그것들은 우리의 인간성의 핵심이며, 우리가 진정으로 살아가는 이유입니다. 그러므로 우리는 감정들을 환영하고, 받아들여야 합니다. 그것들은 우리의 존재를 빛내주는 보석이자, 우리가 가진 가장 소중한 자산입니다.

이 책을 통해 본인을 다시 한 번 생각해볼 수 있는 계기가 됐으면 좋겠습니다. 일상에서 느끼는 감정들을 기억내고 싶을 때 마다 이 책이 떠오른다면 감사하겠습니다.

찝찝한 시작

친구들과 만나기로 했다
얼른 준비하고 나가야겠다

노래 들으며 샤워하고
날씨를 보며 옷을 입고

마침내 나갈 준비가 끝났다
화장실에서 거울만 보고 나가야겠다

아 뭐지 이 축축함
밑을 보니 축축해진 내 양말

까먹었다

친구가 화장실에 간 사이, 핸드폰을 보고 있는 나
"아까 찍은 사진 좀 봐야지, 진짜 웃기게 찍혔네"

친구가 화장실에서 돌아오고 내 모습을 보고 물어본다

"뭘 보고 그렇게 웃냐"

친구에게 아까 사진을 보여준다

친구가 웃으며 한 장 한 장 사진을 옆으로 넘긴다

이때 떠오른 내 갤러리

"아 아까 내 셀카 찍었는데"

도대체 왜

오늘 약속이 있어서 입으려고 했던 회색 옷,
어디로 도망간거지

"엄마, 내 회색 옷 봤어요?"
"너 옷장"

이미 내 옷장을 확인한 나,
무려 두 번을 확인했지

"엄마, 진짜 없다니까요"
"기다려"

거짓말같이 엄마가 오자마자
옷장에서 튀어나온 내 회색 옷

도대체 왜 2

내일 일찍 일어나야하네
그러니 오늘 일찍 자야겠어

그렇게 깊이 잠에 들었다
왜일까 갑자기 눈이 떠졌다

뭔가 느낌이 이상해 시간을 봤다
다행히도 새벽 6시, 나에게 남은 시간 1시간 30분

아직 잘 시간이 충분하니 다시 한 번 잠에 빠진 나
왜일까 이번엔 눈을 뜨니 기분이 상쾌했다

뭔가 느낌이 좋아 시간을 봤다
놀랍게도 아침 8시 50분, 출석까지 남은 시간 40분

지금이라도 완전 빠르게 준비하고 택시타면
결석이 아닌 지각으로 인정되네

하지만 이 순간만큼은 나에게
기나긴 휴식을 주고 싶다

이거 몰카야?

학교 수학 시간, 선생님께서 학생들에게
47p 1번부터 5번까지 풀라고 하셨다

열심히 풀고 있는 와중, 많은 학생들 중
선생님은 왜 내 옆에 와서 서 계실까

나를 보고 있는 건가
스트레칭을 하시는 건가

근데 왜 내 옆에 계실까
결국 집중이 안돼서 문제를 풀지 못했다

선생님은 칠판에 나와 문제를 풀 학생을 고르셨다
여기서도 내가 지목되어 앞에 나갔다

청개구리

볼펜으로 노트에 필기를 하다가
잘못 적은 부분이 있어서

화이트로 지우려 했다
근데 왜 안나오지

다른 곳에다 해보니
아 뭐야, 잘 나오네

다시 잘못 적은 부분에 해보니
아 뭐야, 안 나오네

볼펜으로 노트에 필기를 하다가
갑자기 볼펜이 안나와서

다른 노트에 볼펜을 써보니
아 뭐야, 잘나오네

그래서 다시 노트에 써보니
아 뭐야, 안나오네

모 아니면 도

양치를 해볼까
치약을 거의 다 썼네

밑에서부터 천천히 누르며 올려보자
거의 다 왔다 좀만 더 좀만 더

슬슬 다 나온 치약
준비를 마친 칫솔

갑자기 내 엄지손가락으로 도망가버린
다 나온 치약, 입술

"

나만 보여

"하나, 둘, 셋!"
단체사진을 찍었다

잘 찍혔나 본다
내 얼굴만 본다

좀 아쉬웠지만 다들 잘 나왔다하여
결국 사진촬영은 끝났다

SNS에 올라온 아까 그 단체사진
"나 좀 가리고 올려주지"라며 혼자 삐져있는다

물론 속으로만 생각하고
좋아요와 "잘 나왔다"라는 댓글을 달았다

"

배고파요 방 주인

방 문을 열어보니 상태가 아주 최악
간만에 방 청소를 해야겠다

방 청소가 끝나갈 때쯤
쓰레기 버린 공간 확인

왜, 내가 지금 몇 시간을 청소했는데
왜, 쓰레기봉투는 아직도 배고파하지

어릴 때부터 함께 해온 물건들은 추억 때문에
나중에라도 공부할 거 같다는 문제집은 자신감 때문에

아까워서, 재밌어서, 편해서 등 여러가지 이유 때문에
방을 어지럽게 한 것들을 결국 버리지 못했다

쓰레기봉투가 먹은 것은 오직
꾸겨진 종이, 유통기한 지난 물품뿐

술래잡기

어머니께서 차려주신 밥상
김치, 멸치, 햄 등등 여러 반찬들이 있다

하나 씩 먹어볼까
김치부터 내 입으로 들어와라

아, 맛있다 어머니의 김치
갑자기 날라오는 어머니의 소리

"김치 좀 먹어라"
방금 목으로 넘어간 김치, 인증도 할 수 없다

"네, 김치 먹어볼게요"
처음 먹는 척 다시 맛있게 먹어본다

괜한 걱정

오늘은 50 명 앞에서 발표가 있는 날
50명 앞에 나가서 서 있는 나

얼굴은 괜찮은가, 목소리는 괜찮은가
사람들이 이상하게 쳐다보고 생각하면 어쩌나

발표가 시작되고 중간중간 앞을 본 나
사람들은 밑을 보거나 밖을 보거나 다른 곳을 보고 있네

현실은 아무도 나한테 관심이 없다
사람들은 얼른 이 시간이 지나가기를 원한다

상대가 안돼

누군가 나를 이유 없이 비난한다
그럼 내가 그 사람보다 앞서 나가고 있는 것이다

자기 인생에 집중하는 사람은
남의 인생에 투자를 할 시간과 여력이 없다

자신의 인생이 별로니
남을 구경하고 평가한다

현명한 사람들은 남을 평가하지 않는다
자신이 가벼워보이고 시간이 아깝기 때문이다

남을 비난하는 시간에 자신에게 더 집중하자
질투심에 하는 것이니 마음 속에 갖지말자

증거

.

하루에 몇 번씩 불안을 느낄 때가 있다
현재 그리고 미래에 대한 걱정

꼭 이런 불안은 자기 전에 떠오른다
이 때문에 깊은 잠보다는 편치 않은 잠을 취한다

이러한 불안은 왜 생길까
어쩌면 내 자신을 신경 쓰기에 생기는 감정 아닐까

남들보다 뒤처져서 때문이 아닌
자신이 더욱 잘 살아가고 싶어서 생긴 것이 아닐까

걱정 때문에 생긴 불안 때문에
하루 빨리 바뀌는 것은 없다

불안은 오늘 그리고 내일을 위한 원동력
불안은 내가 지금 잘 살아가고 있다는 증거

그때는 그게 최선이었어

가끔 일상생활을 살다보면
과거에 대한 회상을 한다

그때 그렇게 안했다면
그때 또 다른 방법으로 했다면

어쩌면 원치 않은 결과 때문에 생긴 회상
어쩌면 그때의 나는 그것이 최선 아니었을까

현재를 미래에서 다시 되돌아봤을 때
후회하지 않으려면 과거 탄식보다는 현재에 집중하자

그 과거가 있었기에 그 과거를 후회하는 현재의 나
그 과거가 있었기에 과거보다 더 나은 사람이 되는 나

마지 못해

상대가 나에게 정신적으로 물리적으로
피해를 입혔다면 제대로 사과를 받아야한다

"너가 기분 나빴다면 미안"
"너도 저번에 똑같이 그랬잖아"

"내 의도는 그게 아니였는데 미안하다"
"내가 아주 죽을죄를 지었네"

짧은 순간, 짧은 말 한 마디에
이 사람이 어떤 사람인지 판단할 수 있다

그러나 이러한 사과를 받지 않으면
나만 나쁜 사람인 것 같은 기분

결국 기분이 찝찝한 상태로
상대의 사과를 받아준다

다시 한번

인생을 살다 보면 화가 나는 상황이 있다
그렇다고 곧이곧대로 화를 분출해서는 안 된다

화가 난 상황에서의 나는 말실수를,
나에 대한 평판을 깎을 수도 있다

흥분과 큰 소리와 함께 분출보다는
평정과 작은 소리와 함께 분출을 하자

화가 나더라도 상대에 대한 예의와 함께 얘기를
화가 나더라도 나중에 후회 말고 좋은 기회로

남의 눈치 보지 말고 살자가
남이 나를 눈치 보게 만들지 말자

관계

나이를 점차 먹을수록
활동 반경이 점차 넓어질수록

새로운 사람과 인연을 맺는 것보다
기존의 사람과 인연을 유지하는 것이 더 어렵다

나와 잘 맞는 사람을 점점 발견한다
나와 오랫동안 본 사람은 점점 멀어진다

언제 한번 시간 나면 보자가 아니라
언제 한번 시간을 내서 보자

친구, 연인 등 여러 관계는
쉽게 유지되는 관계가 아니다

회피 말고

자신의 선택에 따른 결과와
결과에 따른 보상이 온다

선택이 좋지 못하면
보상도 좋지 못할 것이다

좋지 않은 결과가 반복되면
선택을 바꿀 필요가 있다

언젠가는 바뀌겠지라는 생각으로
고집대로 선택을 간다면 또 다시 반복된다

좋은 결과와 보상을 위해서는
과감하게 선택하는 것이 좋다

변명

자신의 뜻대로 잘 풀리지 않으면
탓을 하는 경우가 있다

탓할 필요가 뭐가 있나
자신이 결정했는데

누구 때문에, 환경 때문에
시선을 다른 곳에 옮겨서 뭐하나

자신을 되돌아보고 반성하며
좋은 결과를 위해 나아가면 된다

탓보다는 나 자신에서
문제가 있다는 것을

나의 내면

남에게는 관대하다
나에게는 엄격하다

조그만한 실수여도 큰 자책을
조그만한 실수여도 큰 아픔을

남의 걱정은 공감하고 위로하면서
나의 걱정은 극대화하고 자책할까

자신을 반성하는 태도가
자신을 학대하는 태도가 되서는 안된다

아이를 혼내는 부모도
시간이 지나 아이를 위로해준다

나 또한 포용력이 있는 반성으로
너그러운 시선으로 나를 감싸주자

자석

따뜻한 감정, 차가운 감정
플러스 행동, 마이너스 행동

내 머릿속과 몸짓은
감정의 양 극단을 왔다 갔다 하네

마치 N극과 S극을
가지고 있는 것 처럼 말이야

어차피

너무 걱정하지마
너무 신경쓰지마

지금 겪고 있는 걱정이든 아픔이든
결국에는 다 지나갈거니까

실수하면 어때
실패하면 어때

뭐가 됐든 간에 최선을 다했고
최종 결과까지의 과정 중 하나니까

개성

이상한 사람, 부족한 사람은
세상 어디에도 존재하지 않는다

저마다, 개인마다
다른 개성을 가지고 있을 뿐이다

상황에 따라, 환경에 따라
이 개성이 강점이 되기도 약점이 되기도 한다

알아서 할게

너가 날 어떻게 보든
너가 날 평가를 하든

나를 잘 아는 사람은 나야
남 신경 쓸 시간에 너 먼저

연 휴

앞으로 며칠을 쉴 수 있어
기분이 날아갈 거 같아

긴 연휴 동안 뭐 할지 적어볼까
운동, 쇼핑 등 할거 넘쳐나

연휴의 첫 날이 시작되니
누워있으니 아무것도 하기 싫어

그렇게 계획이 누워있는 것으로 사라져버려
하지만 아직 연휴가 많이 남아있네

그렇게 연휴의 마지막 날이 되버려
아무것도 못하고 또 다른 연휴를 찾네

넷플릭스로 혼자 볼 걸

이게 얼마 만에 영화관이야
비록 혼영이지만 재밌게 봐볼까

영화가 시작되고, 몰입이 되려는 그 순간
어딘가에서 들리는 소리들

팝콘 먹는 소리, 영화에 대해 설명하는 소리
아기 우는소리, 혼잣말하는 소리

이러한 소리들을 참고 견디며
다시 한번 몰입에 나섰다

그러나 앞에서는 시간을 보기 위해 핸드폰을 킨 사람
뒤에서는 내 좌석을 발로 차고 있는 사람

안녕

길에서 우연히 만난 친구에게
먼저 이 단어를 꺼내본다

그 친구에게서 돌아오는 말
"어, 안녕! 오랜만이다! 요즘 뭐하고 사냐?"

길에서 우연히 만난 그 사람에게
먼저 이 단어를 꺼내보고 싶었다

그 사람에게서 돌아오는 말을 듣고 싶었다
얼굴을 봐도 인사 못하는 사이가 된 우리

안될 거 알지만

어느 날, 너와 마주친 그 순간
가슴이 설레이고 눈이 번쩍 빛났어

너를 바라만보고 있는 순간에도
세상이 환해지고 빛이 나는 거 같았어

너와의 사랑은 실패할 거 같아서
오직 내 마음에 비밀로 숨겼어

너와의 사랑은 후회하지 않을 거 같아서
오직 내 마음에 비밀로 간직했어

건강한 연애

아무리 사랑해도 나 자신을 잃어가는 연애
사랑과 자존감을 맞바꿔가며 하는 연애

사랑에 빠지면 이러한 해로운 관계를 끊지 못한다
그놈의 정과 사과 때문에 이별과 재회를 반복한다

하지만 한번 상처 준 사람은 한번 더 상처를
상처를 주지 않을 사람은 처음부터 주지 않는다

상처를 주고 받는 관계는 사랑이 아니다
사랑하는 사람이 상처를 줄 수 있는 자격은 없다

누군가 사랑하는 일이 쉽지 않고 행운이지만
나를 먼저 사랑하며 서로에 대한 존중을 하자

사랑 이후

내가 공들였던 연애가, 내가 사랑했던 상대와
끝났다고 해서 후회하며 인생을 회의하지 말자

누구의 탓도 아닌, 각자가 그 시기에 제 역할을 하다
맞지 않아 역할을 포기하고 떠나는 시기가 온 것이다

나와 맞지 않아, 한 챕터가 끝난 것이고
나와 비슷한 사람과 함께 또 다른 챕터를 향해

사랑했던 이가 공유해준 온기는 이제 없지만
그 따뜻함은 가슴 어딘가에 남아있다

새로운 사랑을 시작하면
나도 온기를 공유해줄 수 있는 용기가 생긴다

잠깐만

나 너 좋아하는 거 같아
우리 만나보는 거 어때

나 너 싫어지는 거 같아
우리 그만하는 거 어때

잠깐이고 짧은 이 순간에
우리의 사이가 결정 되는 이 순간

그냥, 좋아

너라서 그래
 이유없이 그래

 너와 함께하면
 행복과 편안함 그리고 기쁨을 느껴

 너가 내 곁에 있어서 고마워
 너가 내 곁에 있어서 든든해

 받은 만큼 돌려주는 것은 부족하더라도
 내가 느낀 좋은 감정은 천천히 갚아볼게

별

"세상에서 가장 슬픈 별이 뭐야?"
"이별이야"

"한때 나도 저 사람과 알고 지내던 사이였어"
"이 별에서"

그 사람이 내게 어떤 사람이었는지는
결국 나와 떨어져야만 깨달은다

그 사람의 빈자리를 그리워하면
결국 몰랐던 허전함이 밀려온다

이게 뭐라고 어렵지

슬픈 사람이 되기는 쉬워
"나는 슬퍼"라고 외치면 돼

요즘따라 이 말은 왜
입 밖으로 꺼내기 쉬울까

행복한 사람이 되기는 쉬워
"나는 행복해"라고 외치면 돼

요즘따라 이 말은 왜
입 밖으로 꺼내기 힘들까

이미 갔지만

함께 했을 때
행복 했으면 된거야

서로 사랑받기 위해
서로에게 왔던거야

너에게 사랑을 진심을 다해 줬어
그러니 널 떠나보내준거야

혹시나 사랑을 받았던 거에 좋은 기억이
있다면, 언제 한 번 다시 와도 돼

너가 내 곁에

있을 때는 몰랐지
있을 때는 못했지

없으니 후회되지
없으니 보고싶지

그리워, 너가
미안해, 내가

연락이라도 하고 싶지만
너가 안 볼 거 알아

내가 천천히 잊어볼게
내가 빠르게 잊어볼게

우리의 거리

'너'와 '나', 모음 하나 다르고
'웃음'과 '울음', 자음 하나 다르거든

근데 둘 사이의 거리는
하늘과 땅 차이 같아

차이

사귀는 사이에서 "뭐해"
헤어진 사이에서 "뭐해"

사이만 변하고 똑같은 단어인데
왜 날라오는 반응은 다를까

혼자야

홀로 남은 그리움
홀로 남은 허전함

이제는 사라져라
내 곁은 떠나줘라

시간이

이별의 아픔은
가시처럼 찌른다

시간은 치유의 손길로
나에게 다가온다

행복한 사람이 되기는 쉬워
"나는 행복해"라고 외치면 돼

요즘따라 이 말은 왜
입 밖으로 꺼내기 힘들까

결말

끝나버린 사랑의 흔적
바람을 타고 사라진다

떠나는 그대의 미소
아직 내 마음에 남아있다

비

비가 오는 밤
　　창가에 앉아 생각에 잠기는 나

다른

.

내가 있는 곳에서 다른 곳을 보면
또 다른 부러움 그리고 아름다움이 보인다

봄

따뜻하고 설렌다
나비가 나를 초대한다

여름

덥지만 설렌다
바다가 나를 기다린다

가을

선선하고 설렌다
 낙엽이 나를 맞이한다

겨울

춥지만 설렌다
눈이 또 다른 나를 기다린다

끝

더 나은 내일을 위해 앞으로
빛 나는 미래를 위해 나아간다